Purpose: The purpose of this book is to provide basic reading for children ages 2 and up. This easy to follow picture word book is written in both English and Chinese. Audio files of this book can be downloaded free with purchase of book at littleyapper.com. Please feel free to contact me at littleyapper.com for comments.

About the author: Jane is an author, designer and educator. These days, you will find her drawing and writing children's books. She draws her inspiration from her students and her daughter. Jane lives in the Big Apple with her husband, daughter and beloved yorkies.

For more information please go to Littleyapper.com

Dedication: To Hailey

This book belongs to:

_____

How the World got its Color from the Sea

世界怎么样从大海里得到了颜色

shìjiè zěnme yàng cóng dàhǎi lǐ dédàole yánsè

by: Jane C. Thai
LittleYapper Series

Once upon a time there was a little boy named Billy who lived in a world that was only in black and white. It was very dull indeed. Billy was very sad and wished there were more colors to look at.

从前， 有个小 男孩 叫比利.他住在一个只有黑色和 白色
cóngqián yǒu gè xiǎo nánhái jiào bǐ lì   tā zhù zài yī gè zhǐ yǒu hēisè hé báisè

的世界里。这 真 的 是 很 平淡.比利很 难过， 并希望 能
de shìjiè lǐ   zhè zhēn de shì hěn píngdàn bǐ lì hěn nánguò   bìng xīwàng néng

看 到 更 多的色彩。
kàn dào gèng duō de sècǎi

"Oh how wonderful would it be if the world had more colors,"
he would say.

"哦,如果 世界 上 能 看到 更多 的色彩 那就太 棒了,"
Ó rúguǒ shìjiè shàng néng kàndào gèngduō de sècǎi nà jiù tài bàngle

他 心里 想。
tā xīnlǐ xiǎng

One day while fishing at sea, he noticed a fish moving in the water. He threw his bait into the water to catch the fish.

有 一 天，在 海上 钓鱼 的 时候，他 注意 到 有 条 鱼 在 水 中
yǒu yī tiān zài hǎishàng diàoyú de shíhòu tā zhùyì dào yǒu tiáo yú zài shuǐzhōng

游 动。他 把 鱼饵 丢入 水 中 捉 鱼。
yóu dòng   tā bǎ yú'ěr diū rù shuǐzhōng zhuō yú

It was a giant fish but he was different. This fish had color! It was covered in a hue of bright **red** and orange colors. It was unlike any fish he had ever seen.

那是 一条巨大的鱼，但是 它 不一样。这 条 鱼 有 颜色! 它 身上
nà shì yītiáo jùdà de yú dànshì tā bù yīyàng zhè tiáo yú yǒu yánsè tā shēnshang

有 鲜艳 的 红色和 橙 黄色 跟 以往 见过 的鱼 都 不
yǒu xiānyàn de hóngsè hé chéng huángsè gēn yǐwǎng jiànguò de yú dōu bù

相 同。
xiāngtóng

Billy was ecstatic! He wanted to take the fish home. "Please don't eat me!" cried the fish.

比利欣喜若 狂! 他想 带这 条 鱼回家。"请 不要 吃我!"
bǐ lì xīnxǐ ruò kuáng tā xiǎng dài zhè tiáo yú huí jiā qǐng bùyào chī wǒ

鱼哭着。
yú kūzhe

"I am a magical fish and if you let me go I will take you to my master, a mermaid who lives beneath the sea who will grant your wish." said the fish.

"我 是 一条 神奇 的 鱼,如果 你 让 我 走 我 会带 你 我 的 主人
wǒ shì yītiáo shénqí de yú rúguǒ nǐ ràng wǒ zǒu wǒ huì dài nǐ wǒ de zhǔrén

那里。 她是 住 在 海底 的 美人鱼。 她会 成全 你 的 愿望。"
nà lǐ tā shì zhù zài hǎidǐ dì měirényú tā huì chéngquán nǐ de yuànwàng

这 条 鱼 说。
zhè tiáo yú shuō

"A talking fish!" Billy shouted.

"啊, 会 说话 的鱼!" 比利喊道。
ah huì shuōhuà de yú   bǐ lì hǎn dào

"Yes, I talk because I am magical," claimed the fish.

"是的, 我 会 说 话, 因为 我 很 神奇 的," 鱼 宣 称。
shì de   wǒ huì shuōhuà   yīnwèi wǒ hěn shénqí de   yú xuānchēng

"Indeed you are," said Billy.

"你的确是," 比利说。
nǐ dí què shì   bǐ lì shuō

"If you let me go I will take you to see my master who will grant you any wish you want!" cried the **red** fish.

"如果 你 让 我 去, 我 会 带 你 去 见 我 的 主人, 她 会 答应 你 任何 的
rúguǒ nǐ ràng wǒ qù wǒ huì dài nǐ qù jiàn wǒ de zhǔrén tā huì dāyìng nǐ rènhé de

愿 望!" 这 条 红 鱼 哭着 说。
yuànwàng zhè tiáo hóng yú kūzhe shuō

"Any wish?" Billy asked. "Yes, but only if you let me go," cried the fish.

"任何 愿 望 都 可以 吗?" 比利 问 道。 "是 的, 但 是 你 要 让 我 走,"
rènhé yuànwàng dōu kěyǐ ma   bǐ lì wèn dào   shìde dànshì nǐ yào ràng wǒ zǒu

鱼 哭着 说。
yú kūzhe shuō

"I wish for a **colorful** world, just like you!" he smiled.

"我 希望 世界 充满 颜色, 就 像 你一样!" 他 笑着 说。
wǒ xīwàng shìjiè chōngmǎn yánsè jiù xiàng nǐ yīyàng   tā xiàozhe shuō

"You have color, you are **red**! How do I find her? Take me to your master!" he demanded. Billy was now extremely excited to find the mermaid.

"你 有 颜色, 你 是 红色 的! 但是, 我 怎么 找 到 她 的? 带 我 去 见
nǐ yǒu yánsè nǐ shì hóngsè de! dànshì wǒ zěnme zhǎodào tā de dài wǒ qù jiàn

你 的 主人!" 比利对它提出要求。 比利 非常 兴奋 能 找 到
nǐ de zhǔrén   bǐ lì duì tā tíchū yāoqiú   bǐ lì fēicháng xīngfèn néng zhǎodào

美人鱼。
měirényú

The fish instructed Billy to swim down to the ocean floor. At the bottom of the sea lived a beautiful mermaid with a magical brush.

大红 鱼 告诉 比利 可以 游 向 海底. 在海底 住了 一条 美丽 的
dàhóng yú gàosù bǐ lì kěyǐ yóu xiàng hǎidǐ zài hǎidǐ zhùle yītiáo měilì dì

美人鱼，她有 一枝 神奇 的 画笔。
měirényú tā yǒu yīzhī shénqí de huàbǐ

That magical brush can paint any **color** imaginable. "She is my master and you will find her in a giant **pink** clam shell," the giant fish replied.

这支 神奇 的 画笔 可以 画 出   想像   中 的 任何 颜色。
zhè zhī shénqí de huàbǐ kěyǐ huà chū xiǎngxiàng zhōng de rènhé yánsè

"她是我 的 主人，就 在 一个巨大的 粉红 蚌 壳里，看 到 那个 蚌
tā shì wǒ de zhǔrén jiù zài yīgè jùdà de fěnhóng bàng ké lǐ kàn dào nàgè bàng

壳 你 就 找到 她了，"大红 鱼 回答比利。
ké nǐ jiù zhǎodào tā le dàhóng yú huídá bǐ lì

The big red fish would first return home to tell his master that Billy had spared his life and she in turn would grant him his wish. Billy was very excited.

大红 鱼 打算 先 回家 告诉 主人 比利 饶了它的 命, 那么, 美人鱼
dàhóng yú dǎsuàn xiān huí jiā gàosù zhǔrén bǐ lì ráo le tā de mìng nàme měirényú

就会 答应 比利许下的 任何 愿望了。比利很 兴奋。
jiù huì dāyìng bǐ lì xǔ xià de rènhé yuànwàngle bǐ lì hěn xīngfèn.

He decided he must swim into the deep sea to find this magical mermaid.

他 决定, 他 下定 决心 要 游 进 深海 寻找 这 条 神奇的
tā juédìng tā xiàdìng juéxīn yào yóu jìn shēnhǎi xúnzhǎo zhè tiáo shénqí dì

美人鱼。
měirényú

Splash! Billy dives into the ocean.

水花 四 溅! 比利潜入了大海。
shuǐhuā sì jiàn bǐ lì qiánrùle dàhǎi

Under the sea Billy discovers a world full of color. Two little green turtles swam by.

比利在海底 发现了一个五彩缤纷 的世界。两 只 小 绿 海龟 游过。
bǐ lì zài hǎidǐ fāxiànle yīgè wǔcǎibīnfēn de shìjiè liǎng zhī xiǎo lǜ hǎiguī yóuguò

Continuing down the ocean, he saw more colorful fish.

继续 往 下游 他 看 到了 更 多 五颜六色, 多彩 多姿 的鱼 群。
jìxù wǎng xiàyóu tā kàn dàole gèng duō wǔyánliùsè duōcǎi duō zī de yú qún

A school of colorful fish with all sorts of colors swam by!
Billy continued to swim further into ocean.

各 种 五颜六色 的鱼 游过! 比利 继续 往 海底 深 处 游。
gè zhǒng wǔyánliùsè de yú yóuguò bǐ lì jìxù wǎng hǎidǐ shēn chù yóu

Suddenly a light **gray** dolphin swims by.

突然，一条 青 灰色 的海豚 游过 身 旁。
túrán   yītiáo qīng huīsè dì hǎitún yóuguò shēn páng

"Woahhhhh," says Billy.

"哇.........., " 比利说。
 wa..........   bǐ lì shuō

Just below the **gray** rocks hid a shy **purple** eel with orange stripes.

就 在 灰色 的 岩石 下面， 隐藏 着 一条 害羞 有 紫 橙 色 条纹
jiù zài huīsè de yánshí xiàmiàn yǐncángzhe yītiáo hàixiū yǒu zǐ chéngsè tiáowén

的 鳗鱼。
de mányú

Next to the eel laid a timid orange - yellow fish hiding in the seaweed.

鳗鱼的 旁边 有一条 胆 小的 橙 黄色 鱼躲 在 海藻 里。
mányú de pángbiān yǒu yītiáo dǎn xiǎo de chéng huángsè yú duǒ zài hǎizǎo lǐ

At the bottom of the sea was a giant **pink** clam.

在海底 真 的 有一个巨大的 粉红 蚌 壳。
zài hǎidǐ zhēn de yǒu yīgè jùdà de fěnhóng bàng ké

Just as the **red** fish had described, a beautiful mermaid appeared beside the giant **pink** clam.

正如 大 红 鱼 描述 过 的,一条 非常 美丽 的 美人鱼 出 现 在
zhèngrú dà hóng yú miáoshùguò de yītiáo fēicháng měilì dì měirényú chūxiàn zài

巨大 粉红 蚌 壳 的 旁 边。
jù dà fěnhóng bàng ké de pángbiān

The boy has finally found the mermaid.

男孩比利 终于 找到了 美人鱼。
nánhái bǐ lì zhōngyú zhǎodàole měirényú

"Hello," said the mermaid. "My name is Annabel, I know why you have come. What wish do you desire?" she smiled.

"你好,"美人鱼 说。 "我 的 名字 是 安娜 贝尔,我 知道 你 为什么
nǐ hǎo měirényú shuō.　　wǒ de míngzì shì ānnà bèi'ěr wǒ zhīdào nǐ wèishéme

来了。你 想 要 什么 愿望?" 她 笑着 说。
láile　　nǐ xiǎng yào shénme yuànwàng　tā xiàozhe shuō

"Would you please make me a **color** like all the other animals in the sea?" Billy asked.

"妳 能 让 我 拥有一切海里动物 都 有 的 颜色 吗?" 比例
nǐ néng ràng wǒ yǒngyǒu yī qiè hǎilǐ dòngwù dōu yǒu de yánsè ma   bǐ lì

问 道。
wèn dào.

Annabel replied : "What **color** would you like to be?"

安娜 贝尔 回答: "你 想 要 什么 颜色 呢? "
Ānnà bèi'ěr huídá :   nǐ xiǎng yào shénme yánsè ne

Do you want to be **green** like a turtle? **Red** like a crab? **Blue** like a dolphin? **Purple** like the eel? **Gray** like a rock? **Pink** like this seashell? **Orange** like a starfish?

你 想 要 绿 得 像 乌龟 一样? 红 得 像 螃蟹? 蓝 得 像 海豚?
nǐ xiǎng yào lǜ dé xiàng wūguī yīyàng hóng dé xiàng pángxiè? lán dé xiàng hǎitún

紫 得 象 鳗鱼? 灰色 得 像 块 岩石? 粉红 得 像 这样 的 贝壳?
zǐ dé xiàng mányú huīsè dé xiàng kuài yánshí fěnhóng dé xiàng zhèyàng de bèiké

或 者 橙 黄 得 像 海星 一样 呢?
huòzhě chénghuáng dé xiàng hǎixīng yīyàng ne

Billy did not know. He wanted to have all the **colors** that he saw and bring it back up to his world of only black and white.

比利不知道。他 想 拥有 一切 他 看 到 的 颜色，全 都 把
bǐ lì bù zhīdào tā xiǎng yǒngyǒu yīqiè tā kàn dào de yánsè quándōu bǎ

它们 带 到 他 只 有 黑白 两 色 的 世界。
tāmen dài dào tā zhǐ yǒu hēibái liǎng sè de shì jiè

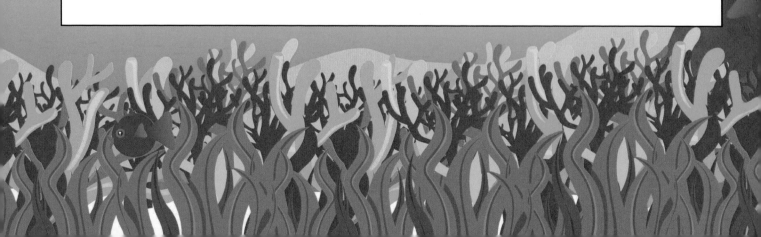

Suddenly he had an idea. "I know!" he said. "I want to be all the colors I see in the sea so that I can bring it back up to all the land for the rest of the world to see." he smiled.

他突然有了一个 想法。"我有了!"他 说。"我 希望 拥有 我 在海底
tā túrán yǒule yīgè xiǎngfǎ   wǒ yǒule   tā shuō   wǒ xīwàng yǒngyǒu wǒ zài hǎidǐ

看 到 的 全部 颜色，这样 我 就 可以 把 它们 都 带 到陆地 上 让
kàn dào de quánbù yánsè zhèyàng wǒ jiù kěyǐ bǎ tāmen dōu dài dào lùdì shàng ràng

世上 所有的人 看 到。"他 笑了。
shìshàng suǒyǒu de rén kàn dào   tā xiàole

"That is a great wish and I have just the thing for you," Annabel smiled. She hands Billy a wand with a **blue** glowing starfish on it.

"这 是 一个 伟大 的　愿望，我　刚好　有　这样　的 东西　给你，"
zhè shì yīgè wěidà de yuànwàng wǒ gānghǎo yǒu zhèyàng de dōngxī gěi nǐ

安娜 贝尔 笑　说。她 给 比利 一个 会　发光　的 蓝 海 星　魔杖。
ānnà bèi'ěr xiào shuō. tā gěi bǐ lì yīgè huì fāguāng de lán hǎi xīng mózhàng

"This is my magic sea paint brush.Take this and use it to color your world. All you have to do is think of a **color** and point at any object you wish to paint," says Annabel.

"这 是 我 的 魔法 画笔。拿着它,并用 它 来 为 你 的 世界　上　色。
 zhè shì wǒ de mófǎ huàbǐ   názhe tā, bìngyòng tā lái wèi nǐ de shìjiè shàng shǎi

你 只要 心里 想着 一　种　颜色,再去 点 你 想　画的 任何 东西,"
nǐ zhǐyào xīnlǐ xiǎngzhe yī zhǒng yánsè zài qù diǎn nǐ xiǎng huà de rènhé dōngxī

安娜 贝尔 说。
ānnà bèi'ěr shuō

Billy was extremely happy and took the magic sea brush to **color** his world. He thanked Annabel and quickly swam back up to shore.

比利太高兴了,他拿魔笔去 为 他 的 世界 上 色。他 感 谢 安娜 贝尔
bǐ lì tài gāoxìngle tā ná mó bǐ qù wèi tā de shìjiè shàng shǎi tā gǎnxiè ānnà bèi'ěr

并且 很 快 游 回了岸边。
bìngqiě hěn kuài yóu huíle àn biān

He picked up the magical sea paint wand and started to paint everything in sight.

他拿起 神奇 的 魔笔,开始 画 起 眼前 的一切。
tā ná qǐ shénqí de mó bǐ kāishǐ huà qǐ yǎnqián de yīqiè

He painted the trees and grass **evergreen**, the sky powder blue,
the sun sunkiss yellow, roses deep **red**, dragonflies lavender
purple and moss **green**. He painted the squirrels **brown**, the fox
orange and the pig pink.

他 画 的 树 和 草　常 绿，天 空　成 了 的　粉 蓝 色，太 阳　变　成
tā huà de shù hé cǎo cháng lǜ　tiānkōng chéngle de　fěn lán sè　tàiyáng biàn chéng

阳　吻　黄，　玫瑰　深　红 色，蜻 蜓　有　薰 衣 草　紫 色 和 苔 绿 色。
yáng wěn huáng méiguī shēn hóngsè qīngtíng yǒu xūnyīcǎo zǐsè　hé tái lǜsè

他 画　松 鼠　成　为　棕 色，狐 狸 是　橙 色　而　猪　是　粉 红 色。
tā huà sōngshǔ chéngwéi zōngsè　húlí shì chéngsè ér zhū shì fěnhóng sè

The world now has **color**, all sorts of **colors** and shades. It was no longer dull. Billy was finally happy that the world was now a **colorful** place to live in. And that is how the world got its **color**.

世界 终于 有了 颜色,各 种 不同 的 颜色和 阴影。它不 再 沉 闷。
shìjiè zhōngyú yǒule yánsè gè zhǒng bùtóng de yánsè hé yīnyǐng tā bù zài chénmèn

比利 很 高兴 终于 看 到 这 世界 是 一个 多姿多彩 的地方。 世界
bǐ lì hěn gāoxìng zhōngyú kàn dào zhè shìjiè shì yīgè duō zī duōcǎi dì dìfāng   shìjiè

就是 这样 得到了颜色。
jiùshì zhèyàng dédàole yánsè

THE END

故事结局了
gùshì jié jú le

Vocabulary Learning

colors 颜色 yán sè

black 黑色 hēi sè

white 白色 bái sè

red 红色 hóng sè

orange 橙色 chéng sè

purple 紫色 zǐ sè

blue 蓝色 lán sè

pink 粉红色 fěnhóng sè

brown 棕色 zōng sè

green 绿色 llǜ sè

gray 灰色 huī sè

yellow 黄色 huáng sè

happy 高兴 gāo xìng

rose 玫瑰 méi guī

tree 树 shù

fish 鱼 yú

fishing 钓鱼 diào yú

sea 海 hǎi

a lot 很多 hěn duō

world 世界 shì jiè

to see 看 kàn

to speak 说话 shuō huà

paint 画 huà

paint brush 画笔 huà bǐ

squirrel 松鼠 sōng shǔ

seashell 贝壳 bèi ké

eel 鳗鱼 mán yú

dolphin 海豚 hǎi tún

starfish 海星 hǎi xīng

animal 动物 dòng wù

rock 岩石 yán shí

dragonfly 蜻蜓 qīng tíng

crab 螃蟹 páng xiè

mermaid 美人鱼 měi rén yú

fox 狐狸 hú lí

to ask 问道 wèn dào.

speak/say 说 shuō

to answer 回答 huí dá

If you have enjoyed this story, please share and leave me a comment at littleyapper.com. A review on Amazon.com would be appreciated as well.
Thank you. 谢谢

Use code : **FIRSTWORDS** to download your FREE audio book and find out more tips on dual language learning at **littleyapper.com**

Other dual language books by Jane Thai

The Apple Tree
How Mommy Carries Her Baby
12 Months of the Year
I like Pickles
First Words in Chinese

Made in the USA
Middletown, DE
14 November 2019